Suzi g
Bozo

Chantal Bouvÿ et Sabine Hofmann
Illustré par Amandine Meyer

Suzi garde Bozo.

Suzi tire Bozo.

– Du calme, Bozo !

Suzi donne le rôti à Bozo.

Suzi donne le plat
de pâtes à Bozo.

Bozo avale
le plat de pâtes.

Suzi donne la pizza
à Bozo.

Bozo avale la pizza.

– À table ! dit Papa.

Suzi regarde Papa.

Bozo a fini le rôti.
Bozo a fini le plat de pâtes.

Bozo a fini la pizza.

Suzi regarde Papa :
– Il y a de l'ananas.

– J'adore l'ananas !
dit Papa.